A Story about Color Blindness

by **Julie Anderson**

illustrated by
David López

Albert Whitman & Company
Chicago, Illinois

　赤毛のエリックは、とても知りたがりや。いろんなことを いつも考えています。

「魚も のどが かわくかな？」

「自分で くすぐっても くすぐったくないのは なんでかな？」

「今日もマイルスをわらわせたら また しゃっくりが出てくるかな？」

「もし、ぼくにニックネームがなかったら、なんてよばれていたんだろう？」

でも だいじょうぶ。エリックは生まれたときからずっと「赤毛のエリック」と

よばれています。

1

エリックは このごろ うまくいかないことが つづいています。
「赤毛のエリック、だれにボールをけってるんだ！」と体育の先生が さけびました。
エリックは 相手チームに ボールをパスしてしまったのです。

「赤毛のエリック、頭は お休み中なの？」ダルトン先生がたずねました。

「読書の本もまちがえてたし、算数のしゅくだいも半分やってなかったわ」

「ぼくは、ちゃんとやったつもりなんだけど・・・」と答えました。

「なんで ぼくは まちがえたんだろう？」

「だれでも しっぱいすることは あるわ」とママは言いました。

「つぎは きっと うまくやれる わよ」

3

エリックは、また なにか しっぱいしないかと ふあんでした。
そんな中、算数の小テストがありました。
ダルトン先生が テストのもんだいを黒ばんに書きました。
「赤毛のエリック、こっちを見ないで」
アナベルが、小さな声で ちゅういしました。

ママが 学校に よばれました。

「アナベルの答えは 見てない」とエリックは 言いました。

黒ばんの字が 見えなくて、アナベルが うつした もんだいを 見ようとしたのです。

「きょねんは 見えてたよね?」ママは 聞きました。

「うん。きょねんは 前の方に すわってたから。目のけんさでも ぜんぶ 見えた
けど、先生が黒ばんに 書くと、ときどき 見えないんだ。なんでかなあ」

「なぜかしらね」ママも ふしぎでした。

エリックは図工の時間が大すきでした。
「赤毛のエリック、なんて ばかな絵をかいてるんだよ！」

6

と言われるまでは・・・。

「これ、きみなの？」サムがエリックの絵を ゆびさして聞きました。

「今日はモンスターじゃなくて、自分をかくんだよ！」

「とても そうぞう力のある絵だね」図工の先生は言いました。

「それにしても、きみの頭の中は・・・どうなっているんでしょうね？

緑色のかみ!?

う～ん。今まで見てきた中でも、とても ふしぎな絵ですよ・・・緑色のエリックさん」

「えっ どういういみ?」先生にたずねました。

「この色でいいと思ったんだけど・・・」

みんなから わらわれました。でも、アナベルだけは ちがいました。

「エリック、あなた、カラーブラインドね」

「色は見えるよ。目が見えないわけじゃない」

「心ぱいしないで。わたしのパパもカラーブラインドなの」

アナベルは にっこり ほほえみました。

「わたし、パパのくつ下とネクタイを えらんであげるのよ」

その日、エリックは絵をもって帰り、ママとパパに アナベルから言われたことを話しました。二人は絵を見た後、顔を見合わせました。

いっしょに パソコンでしらべ、

おいしゃさんに みてもらいました。

その後で、エリックとママとパパは
学校の先生に 会いに行きました。

「エリックは いつも気をつけていたんです」とママとパパは 先生にせつめいしました。「でも、エリックにとっては、茶色、緑色、金色、オレンジ色の色あいが、とても にているのです。かれが 赤毛を緑色にぬったのも、色がとても にていたからです。色だけのくべつは、ほかの子どもには かんたんですが、エリックはそうではないのです」

エリックのへや

エリックの色のかんじ方

12

学校のえんぴつとペン

エリックの色のかんじ方

食べものの色も 少しちがって かんじます！

13

「じゃあ、白黒で見えてるの？」マイルスはたずねました。

「色は 見えるよ」エリックは、みんなに せつめいしました。

「みんなとは ちょっとちがって見えるけどね。むかしは『シキカクイジョウ』と言われてたけど、今は『色かんかくのちがい』とか『色のこんらん』というそうだよ。ぼくは、自分のかんじ方を『ちょっと かわった色覚』だと思ってるよ！」

「みんなが よく金色やオリーブ色のことを話してたけど、どっちがどっちか、どうやって見分けているのか ぜんぜん分からなかったんだ」とエリックは言いました。「二つをならべたら、ちょっとちがうのは分かるけど、みんなは くらべなくても すぐに見分けられるから、すごいなあと思っていたんだ」

「おいしゃさんなら、なおせるんじゃない?」

「いいや、だれにもなおせないんだ。だけど、いい方法があるよ」

15

エリックのママとパパが 教科書を見たとき、算数では 緑色のぶぶんに
赤い字で書いているところがありました。

これでは、エリックは うまく読めません！

ダルトン先生が、そのページを　白黒でコピーしてくれました。
これでエリックは、算数のもんだいが　すべて読めるようになりました。

図書カードは、いくつもの色で 色分けされていました。

でも、エリックには まぎらわしくて、すぐには見分けられません。

そこで、クラスのみんなが 図書カードすべてに 色の名前を書きこみました。
これでエリックは、図書カードを正しく見つけられるようになりました。

19

きょねん、教室の黒ばんは黒色でしたが、ことしは明るい緑色になりました。
緑色の黒ばんに 先生が黄色いチョークで書くと、エリックには よく読めません。

「ごめんなさい」ダルトン先生は あやまりました。
「このまえ、見えないって言ってたのに。いみが よく分かってなかったわ」
「いいんです」エリックは ほほえみました。「ぼくも白いチョークなら見えるって
知らなかったから」

はくねつした試合の中では、エリックは緑色とオレンジ色のビブスを見分けることが苦手でしたが・・・

・・・青色と白色に かえると、相手チームに まちがってパスすることが
なくなりました。

「絵のぐにも 色の名前を書いたほうがいい？」アナベルが聞きました。
「ありがとう。でも、ぼくは みんなが見ているようにじゃなくて、ぼくが見えている
ようにぬりたいから、このままでいいよ」
「そうね、あなたの絵だからね。こんどの『エリック』は・・・」

「青いかみだ！」みんなといっしょに 楽しそうにわらいました。

「これからは、ぼくのことを『エリック』とよんでね！」

まんぞくそうな顔で エリックは言いました。

色と色の感じ方のちがいとは

わたしたちは色をどのようにして感じるの？

　わたしたちの目には、杆体と錐体という2種類の細胞がたくさんあります。杆体は明暗の差を、錐体は色のちがいを感じ取る光のセンサーです。

　錐体は、おもに赤色に反応する型、おもに緑色に反応する型、おもに青色に反応する型の3種類があり、各錐体から伝えられる信号の組み合わせから、色という感覚を、わたしたちは頭の中でつくりだします。それが色覚です。

　もっている錐体が3種類より少ない人もいます。その人たちは、多くの人とはちがった色の感じ方をします。その人たちを、英語では近年 "CVD（Color Vision Deficiency ＝ 一部欠けている色の感覚）" と呼び、このお話の原文でもその言葉が使われています。

　かつて世界中で使われてきた "Color Blindness" を日本では「色盲」「色覚異常」と表現してきましたが、誤解を招くという理由から、表現を変えようという動きがあります。"CVD" のほか、お話の中でエリックが言った「色のこんらん（"Color Vision Confusion"）」や「ちょっと変わった色覚（"Color Vision Quirky"）直訳すると "風変わりな色覚"」も工夫された表現です。

　日本遺伝学会は2017年、「色覚多様性」という用語を提起しました。色覚は、人がもつ多様性のひとつだということです。多数色覚者（多数派の色覚をもつ人）を基準とした色づかいは、少数色覚者（少数派の色覚をもつ人）には見分けにくい場面があります。逆に少数色覚者に見分けやすい場面もあるのですが、この事実はあまり知られてはいません。しかし、この両面から考えると、色覚のちがいは優劣のちがいではなく、その存在する割合のちがいであるととらえることもでき、"Color Blindness" を「少数色覚＝"Color Vision Minority"」と表現する方が適切だと考えます。そのためここでは以下、少数色覚（者）という言葉を使い説明します。

少数色覚者はどれくらいいるの？

　エリックが住むアメリカでは、男性が12人いれば1人は少数色覚者で、女性の少数色覚者は男性の約20分の1といわれています。日本では、男性の約20人に1人、女性の約500人に1人が少数色覚者だといわれます。少数派とはいえ、ごくありふれた色覚の持ち主です。

28

なぜ男性のほうに少数色覚者が多いの？

　多数色覚者がかんたんに見分けられる赤と緑を、少数色覚者の99パーセントは、似た色・近い色に感じたり、ときには混同したりします。これは、両親から遺伝として受け継がれた生まれつきのものです。

　わたしたちは、こうした遺伝情報をもつ染色体を2つもっています。女性はX染色体を2つもっていて、男性はX染色体とY染色体を1つずつもっています。色覚についての遺伝情報はX染色体の中にあります。

　男性は、1つしかないX染色体の中に少数色覚の遺伝情報があれば少数色覚になりますが、女性は、2つあるX染色体の両方にその遺伝情報がなければ少数色覚になりません。少数色覚の遺伝情報をもっている女性は男性の2倍いるのですが、両方のX染色体に少数色覚の遺伝情報がある割合がとても少ないのです。

　少数色覚には、赤と緑が近い色に感じる型とは別に、青の感覚にちがいがある型、明るさのちがいだけを感じる型がごくわずかにあります。これらは、男女に関係なく同じ割合だといわれています。

　しかし色覚の研究が進んだ現代、これら少数色覚と多数色覚を二分化することに無理があるといわれるようになりました。少数と多数どちらの色覚にも、今までの色覚検査では区別できないほどの小さな差がたくさんあることもわかってきたのです。

赤と緑が似ていると感じる少数色覚者は、みな同じ見え方なの？

　いいえ、人それぞれで色の感じ方はちがいます！

　少数色覚は、弱度、中等度、強度、そして色による判別ができないタイプに分けられます。これは色覚の医学的診断で、多数色覚を基準とした色判別との差の大きさを示しています。この診断では、おそらくエリックは中程度か強度に分類されるでしょう。しかし、あなたの周りにいる少数色覚者がエリックと同じとは限りません。多数色覚者とわずかな差しかない弱度の少数色覚者は、色覚検査で指摘されない限り、気づかないまま何年も過ぎることがあります。少数色覚であっても日常生活に困ることがあるとは限らないのです。

　赤と緑が似ていると感じる型の中には、赤を暗く感じる型もあるなど、少数色覚の中にもちがいがあります。エリックが緑色の黒板に書かれた黄色の文字が見えにくいというエピソードは、エリックのモデルとなった男の子の特徴かもしれません。日本では、アメリカと黒板の色のちがいもあるのでしょうが、黒板には白と黄色のチョークを基本に使うよう国は指導しています。

　なお、この本には、「多数色覚者の色の感じ方と比較した少数色覚者の見分けにくさ」をシミュレーションで描いた部分があります。このシミュレーションの発明のおかげで「少数色覚者の色の混同」の理解が進みました。しかしその反面、「少数色覚者はこんな見え方をしている」と誤解

される面も少なくありません。シミュレーションでは色を意図的に変えることで「少数色覚者の色の混同」を表現しているので、実際感じている色を表現しているわけではありません。

色覚検査って、どのように行われるの？

世界中で最もよく知られている色覚検査は、1917年に石原忍博士によって開発された「石原式色覚検査表」です。図のような水玉模様で数字などを描き、少数色覚者が読み取れないものや少数色覚者だけが読み取れるものを入れ、それを読ませることで少数色覚者か多数色覚者かにふるい分けをします。

この絵本の扉には、原題の「ERIK the RED sees GREEN」の文字がキャンバスに描かれています。そのREDとGREENは、少数色覚者にはとても似て感じるような微妙な色が使われています。よく見ればちがいに気づくものの、ちょっと見ただけでは気づかない人もいるでしょう。このような微妙な色を瞬時に判別できるかを試すのが石原式色覚検査表です。

しかし、この検査ではその人が色をどのように感じているのかはわかりません。

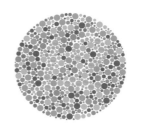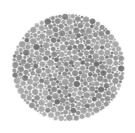

少数色覚者の多くは、この画像から数字を読むことはできません。

しかし、この画像から数字の2を読み取れる少数色覚者が多くいます。

少数色覚は治すことができるの？

それに取り組んでいる科学者たちもいますが、「少数色覚を多数色覚に変えるという治療法」は現在ありません。また、それを治療ととらえてよいかも疑問です。少数色覚を病気のようにとらえ、その存在を否定する恐ろしい考え方のようにも思われます。それよりも、だれにもわかりやすい色づかいの工夫などに力を入れるべきではないでしょうか。

日本では明治時代のはじめに、少数色覚の存在が外国から伝えられ、治療や訓練で治す方法がくりかえし試みられてきました。ときには、治るものだとか治すべきものと人々が思い込まされた時期もありました。しかし、色覚のちがいは遺伝子レベルの問題で、かんたんに変化するものではありません。

色覚を補正するというめがねが販売されていますが、子どもたちが使う暗記用の赤いシートをノートなどにかぶせると赤い字が消えて黒い字だけが読めるという原理を用いたものです。少数色覚者の多くは赤いシートを通すと区別できにくい色の

字が目立つようになり検査表が読めるようになりますが、それで多数色覚者と同じ色覚になったわけではありません。逆に、そのめがねをかければ、色の感じ方がすべて赤っぽくなり、それまで区別できていた色が区別できなくなります。特に車の運転などでは赤信号が目立たなくなり危険です。

少数色覚の人へどう接すればいいの？

　少数色覚の人は、多くの人と色の感じ方がちがっていても、自分たちが見る世界を理解し生活していきます。多数色覚の人と同じで、生まれもった色の見え方で社会生活に適応しているということです。みなさんの周りにも多くの少数色覚の人がいるのですが、そのことで何か困っている状況を見かけることなどほとんどないでしょう。

　でももし、あなたに「これとこれは同じ色ですか？」などと聞いてきたときは、その答えを伝えてください。エリックの少数色覚にいち早く気づいたアナベルのように、少数色覚の知識を多くの人がもち、自然に支援してくれる社会になることを、少数色覚の人だれもが心から願っています。

　また「色当てクイズ」だけはしないでください。「このシャツは何色に見える？」とか「緑色の箱はどれかわかる？」と、つい聞いてみたくなるかもしれません。でも、色の名前で表現しても、どのように感じているかは誰にもわかりませんし、多数色覚の人が見分けやすい色を誰もが見分けられないといけないと考えられると、少数色覚の人には「つらいクイズ」になってしまいます。少数色覚の人たちは、みんなが一日も早くそのことに気づいてほしいと願っています。

　残念ながら日本では、少数色覚に対する理解が進んでいないため、いわれのない職業の制限や取得できない資格がまだ残されています。色覚多様性による感じ方のちがいを知ることからはじめ、それぞれの感じ方を気軽に話せる社会になるといいなと思います。

　私たちの国のエリックたち、そしてまわりにいる人たちも笑顔で過ごしていけるように。

Julie Anderson

has a B.A. in writing from Johns Hopkins University and now lives in Santa Monica, California, with her husband and their twins, Severn and Esme. This is her first book.

David López

studied animation and illustration in Lyon, France. He has since worked as an animator, background supervisor, and storyboarder for many cartoons. He lives in Paris.

ごとう あさほ

小学校の教員です。中学校や高等学校で英語を教えていたことがあります。「しきかく学習カラーメイト」には、発足当時から参加しています。"Erik is a wonderful kid.（原文引用）" 読めば読むほど、wonderful な本です。みんなに happy が広がりますようにと思いながら、翻訳に取り組みました。

おいえ ひろあき

少数色覚の元中学校国語科教員、元大学人権問題担当非常勤講師です。「しきかく学習カラーメイト」の発起人で現在代表をしています。日本の子どもたちや大人が、色覚のちがいを笑顔で話せるようになることを願って、この絵本の日本語版を出版しました。

エリックの赤・緑

2021年7月31日　初版発行

原　作　Julie Anderson and David López

翻　訳　ごとう あさほ　　色と色の感じ方のちがいとは　尾家 宏昭

発行所　しきかく学習カラーメイト　https://color-mate.net/

発売元　学術研究出版　https://arpub.jp
　　　　〒670-0933　兵庫県姫路市平野町62
　　　　［販売］Tel.079（280）2727　Fax.079（244）1482　［制作］Tel.079（222）5372

印刷所　小野高速印刷株式会社
©しきかく学習カラーメイト 2021, Printed in Japan
ISBN978-4-910415-59-8

ERIK the RED sees GREEN: A Story about Color Blindness written by Julie Anderson and illustrated by David López
Text Copyright ©2013 by Julie Anderson and illustrations Copyright 2013© by Albert Whitman & Company
Published by arrangement with Albert Whitman & Company
First published in the United States of American in 2013 by Albert Whitman & Company, 250 South Northwest Highway, Suite 320, Park Ridge,
Illinois 60068 USA
ALL RIGHT RESERVED